행복의 공식
(FORMULA OF HAPPINESS)

행복의 공식(FORMULA OF HAPPINESS)

발 행 | 2024년 04월 25일
저 자 | 이문웅
펴낸이 | 한건희
펴낸곳 | 주식회사 부크크
출판사등록 | 2014.07.15.(제2014-16호)
주   소 | 서울특별시 금천구 가산디지털1로 119 SK트윈타
워 A동 305호
전   화 | 1670-8316
이메일 | info@bookk.co.kr

ISBN | 979-11-410-8275-8

www.bookk.co.kr
ⓒ 사유와필사 2024

행복의 공식

사유와 필사 지음

목 차

행복의 공식을 펴내며

모든 일들은 항상 예고 없이 찾아온
다. 사랑도 문득 다가오는 감정이고 이별
도 예견 속에 있는 갑작스런 통보이다.
우리는 살면서 얼마나 행복할까? 어느
날 행복했던 순간을 떠올려 보니 그 많
은 시간 속에 그리 많지 않은 장면으로
가슴이 답답했다. 어떻게 살아야하나? 돈
이 많으면 행복해질까? 머릿속과 가슴
속을 항상 따라다니던 행복이라는 단어
가 명쾌하게 들어오기 시작했다. 아침에
일어나면 내일을 걱정하고 살던 내가 오
늘 내가 하고 싶은 일로 하루를 보내며
살고 있다. 오랜 기간 나를 힘들게 하던
무엇이 되고자하던 마음도 점점 더 사라
지고 오직 내가 할 수 있고 하고 싶은
일을 하며 나의 시간은 내가 결정하는
삶을 살고 있다. 하지만 아직도 100%

나의 시간이 내 시간이 아닌 날들도 있다.

우리가 태어난 지구라는 푸른 별은 사람을 안고 있다. 그리고 사람이 살아가며 필요한 모든 것들을 내어주고 있다. 나의 행복은 바로 내어줄 때 행복할 수 있는 나를 발견하면서 오늘이 내일과 같은 삶으로 이어지고 있다. 누군가를 위한 삶은 존중받아야한다. 그 존중은 더 많은 희생과 헌신을 낳게 한다.

스승님께서 돌아가시기 전, 고결한 삶을 살라는 유언을 남기셨다. 그리고 나는 애쓰지 않으면서 점점 그럼 삶을 살기위해 몰입해가고 있다.

오늘 행복의 공식을 만나는 사람이 내일은 온전히 자신의 시간을 스스로 설계할 수 있는 힘이 생기길 바란다. 그렇

게 생긴 자신의 시간은 당신을 행복의
시간으로 인도할 것이다.

하도훈 스승께 이 책을 바칩니다.

이 책은 나의 길을 가르쳐 주신 하도훈 스승님께 바칩니다.

또한 오랫동안 책임감 없는 남편을 바라보며 아이들을 키워온 나의 아내 김순이님께 이 책을 바칩니다.

항상 어른으로서 힘들 때마다 큰 언덕이 되어주신 신학용 전 국회의원님께도 깊은 감사를 드립니다.

인생은 행복을 찾아 떠나는 항해

행복하고 싶은가? 그렇다면 우선 단어의 의미를 되새겨보라!

한자이다. 幸福, 다행스런 복? 행자를 가만히 살펴보면 매울신에 한 일자가 그어져 있다. 매운 것을 막아버린 글자. 그 것은 다행이라는 행(幸)으로 거듭난다. 우리의 인생은 사실 어두운 동굴을 걸어가는 것 같을 때가 대부분이다. 어떤 환경에서 태어났든지 자신을 만족시키는 삶은 거의 없다. 가끔 행복했던 시절이 있을 뿐 그의 인생을 '행복하다'라고 말할 수 있는 현재의 나는 드물다.

그런 삶을 살기에 우리는 항상 행복에 목이 마른다. 저마다 다른 욕구를 가지고 각기 다른 행복감으로 자신의 불만의 해소가 되는 그 날을 꿈꾸며 산다. 현대를 살아가는 대부분에 사람들은 돈 때문에 행복하지 않다. 아니 자신을 불행하다라고 여기는 사람들도 많다. 그렇다면 여기서 우리는 행복의 반대말이 불행이라고 말할 수 있는가? 행복에서 복자를 살펴보면 보일 시자가 부수이다. 그리고 한일, 입구, 밭전자로 구성되어 있다. 즉, 입으로 들어가는 것을 키우는 밭을 하나라도 볼 수 있는 것 그 것이 복이다. 복에는 타고난 복과 후천적 복이 있다. 전자는 요즘 말하는 금수저이고 후자는 굳이 사주팔자로 말하자면 성공의 연월시를 가지고 태어난 보기 드문 사람이라고 할 수 있다. 그렇다면 행복을 다시 풀어보면 다행스럽게 복을 갖게 되는 것이다. 복이 없는 사람이 다행스럽게 복이 생겨나는 것 그것이 행복이다. 그런데 사람들은 하루하루 좋은 아파트에서 잘 먹고 살고 있으면서 행복하지 않다고 아우성이다. 그것은 한자로 풀어 본 의미로는 일치하지 않는 행복을 지향하고 있기 때문이다. 그야말로 먹고 살면 다행스럽게 복을 갖고 있는 것인데도 말이다. 하지만 호모 사피엔스는 생각하며 살고 있고 그 생각들이 나의 행복의 순간들을 갈구한다.

인류 문명의 발달은 인류의 대뇌를 발달시켰다. 스스로 불편한 것을 해소하며 자연의 법칙과 멀어져간 인간들은 스스로 자신들의 욕구를 성장시켜왔다. 하지만 문명이 발달하면서 사람들이 더 많은 자유를 누릴 수 있게 되면서 사람들은 상대적 평등을 지향하게 되었고 자주 내가 생각하는 다른 상대방과 나의 행복을 비교하며 살게 되었다. 그렇게 사람들은 상대적 행복 박탈감에 오늘도 힘들어 한다. 요즘 도시에 사는 모든 사람들이 말하는 행복의 제 1 조건은 안정적 자본이라고 말하고 있다. 하지만 자본적 안정은 행복을 느끼게 만드는 요소 중 극히 일부에 지나지 않는 다는 것은 행복을 느끼게 되는 순간 저절로 알게 된다. 누구나 말할 수 있듯이 금 수저로 태어났거나 돈이 많은 사람들이 누구나 행복할 수 있는 것은 아니라는 것이 바로 그 증거이다.

행복은 변하지 않는 감정인가? 이런 질문은 듣는 순간 고개를 젓게 만든다. 그렇다. 행복은 고정되어있지 않는 에너지로 순간, 순간 만들어지는 대뇌의 반응이다. 그렇다면 계속적인 대뇌의 반응이 계속 행복하게 반응할 수 있는가?
이렇게 질문하면서 미친 사람을 떠올려보라!
웃는다. 행복한 것이다. 잠시 웃자! 행복은 이성이 아니다. 그냥 우리의 몸이 만들어내는 자연스러운 반응이다. 그렇다면 행복할 수 있는 공식은 벌써 존재하는 것이다.

각자의 삶은 모두 다른 형태를 띠고 있지만 행복의 형태는 똑같다. 행복의 형태는 웃음이고 사랑이고 용서이다. 그래서 사랑하면 행복한 것이다. 그러나 우리는 인생을 살면서 언젠가부터 사랑을 잊거나 잃어버린 채 하루하루를 살아가게 된다. 하루를 살 수 있음에 감사하는 일은 사라지고 하루가 고통의 연속으로 다가오거나 그저 일벌레 또는 돈 버는 기계로 전락해 살아가는 나를 발견하고 슬퍼하게 된다.

하지만 분명한 것은 사람의 동굴은 항상 다가오고 사라지는 것으로 누구나 어둠 속에 서 있다. 하지만 자신이 서 있는 지점을 어떻게 인지하고 인식하는가에 따라 나의 행복은 바로 내 곁에 다가와 있음을 알게 된다. 우리는 이 행복의 공식의 통해서 나의 욕심을 더 아름답게 승화시키고 만족의 웃음을 지을 수 있게 되고 남을 위해 기꺼이 내 것을 내어 놓을 수 있는 마음과 내가 아프게 한 사람을 찾아가 깊은 마음으로 용서를 빌게 되고 지금의 내가 바로 당신의 사랑으로부터 시작되었다는 깊은 반성을 하고 내가 다시 돌아갈 어둠을 향해 웃으면서 걸어갈 수 있는 사람이 될 수 있길 바란다. 사유란 생각하고 생각하는 사유(思惟)가 아닌 사유(思遊)로 즐길 때 비로소 사람다움을 배울 수 있게 되고 행복의 순간을 깨달을 수 있다.

하지만 명심하자! 행복은 한 순간 지나가는 바람 같은 감정이므로 내가 잠시 느끼는 마음이 계속 이어질 수는 없다. 그래서 행복을 느끼는 마음은 겸손한 마음과 감사하는 마음과 만족할 수 있는 마음이 함께 작용할 때 비로소 빈번한 행복감을 맛보며 살 수 있는 것이다. 하지만 경계하라! 거짓된 마음으로 행복을 포장하는 우매함에 대해 항상 깨어 있어야 한다. 항상 깨어 있다는 것은 바로 사유하는 삶이다. 사유하는 삶을 통해 나를 돌아보고 상황 인식을 현명하게 하며 때로는 불가항력의 상황을 이겨낼 수 있는 힘을 얻게 만든다. 우리가 사는 이 복잡다단한 세상에 당신의 사유가 인생의 방향타가 될 수 있다는 것은 의심할 여지가 없다. 이제 행복을 향한 여정을 떠나며 사유의 돛을 올리고 신나는 행복의 항해를 해보자.

행복은 한 순간 지나가는 바람이다.

행복의 제 1 공식

행복은 지나가는 바람

나는 매우 부정적인 삶을 살아왔다. 그리고 자신이 걸어 온 길을 침소봉대하며 자기 합리화를 했고 잘 모르는 일들에 대해 아마추어적 주장을 하며 살아왔다. 그런 삶은 항상 무리수를 두며 살게 되었고 억지 에너지를 내며 살아왔다. 자신이 원하는 것이 무엇인지도 모르고 사랑을 자신의 피난처로 생각하다가 결국 원치 않는 시기에 힘든 짐을 짊어지고 기혼자의 삶을 살았다. 그런데 그 삶에서 내게 행복의 느낌을 준 순간은 참 많았다. 그런데 지금 나는 불행하다고 느끼고 있으며 행복의 공식이라는 글을 쓰며 행복해하고 있다. 그렇다면 지난 날 내가 부정적 삶을 살던 청춘도 순간의 끌림에 행복해하며 나의 시간을 결정했었던 것일 텐데... 그렇다면 순간순간 행복한 시간을 보냈던 날들을 기억하지 못하거나 망각한 것은 아닐까? 행복은 먹고사는 것이 해결되어서 살아있으면 되는 것이라는 것을 알고 나니 나는 행복했다라고 말할 수밖에 없다.

그런데 여전히 나는 행복하지 않다. 왜일까? 내 욕구의 크기가 늘어난 것이다. 나는 몇 년 전 내 삶에 최고의 형벌을 내린 아내와 별거를 하게 되었다. 나의 삶을 살지 못하고 돈만 벌려하던 내 인생에 종소리를 울려준 사건이었기 때문이다. 그리고 나는 불을 끄면 완전히 빛이 차단되는 그런 지하 방에서 그것도 남의 권리로 계약된 집에서 기거하게 되었고 약 2년을 그 곳에서 공부하게 되었다. 직업도 없고 일할 의지마저 사라진 살아있다기보다는 숨이 붙어있는 생명체가 그 곳에서 영혼의 목욕을 하며 시간을 보냈다.

사실 그 시간이 거의 끝나갈 무렵 나의 스승은 점점 기력을 잃어가셨고 내가 그 곳을 탈출한지 약 4개월이 지나지 않아 이승을 저버리셨다. 그 순간 나는 영원히 행복하지 않을 줄 알았다. 그런데 나는 어둠을 탈출하며 새로운 길을 가게 되었는데 그 길은 바로 '미래 개척길'이었다. 그렇게 시작된 새로운 삶은 재정적이라기보다는 기본적 생활비마저 없던 내게 동굴 속 빛처럼 다가와 나를 행복하게 해주었다. 그렇게 시작된 2022. 임인년 새롭게 시작한 해인만큼 하고 싶은 일들에 온통 장미 빛 나날을 꿈꾸며 시작했다. 제주도에서 워크샵을 했고 주고 싶은 사람들에게 내 것을 나눠주었다. 하지만 세상은 나에게 행복을 그리 쉽게 내어주지 않았다. 그 때마다 나는 맹자의 한 구절을 되뇌곤 했다.

천장강대 임어사인야!

하늘은 큰 뜻을 내리기 전에 먼저 큰 시련을 주어 삶을 단련시킨다는 아주 자조적인 문구. 그리고 그 해의 연말은 끔찍했다. 루나사태, FTX사건, AAX거래소의 부도는 미래를 꿈꾸던 내게 미아로 전락시켜 버리듯 나를 힘들게 했다. 그러면서 2022년은 지나갔고 나는 지금 2023년을 산다. 순간을 살면서 영원하길 바라는 사람들. 행복은 바로 그 순간에 존재한다는 것을 알면서도 그 순간을 지속시키고자하는 것은 인간이기 때문에 가질 수 있는 욕망의 굴레. 하지만 예전의 힘든 시절과 지금은 천양지차로 다른 것을 나는 비로소 깨닫는다. 그리고 지금 내가 하고 싶은 일을 하는 것이 나의 행복을 지켜주는 것이라고 미소를 짓는다. 작년의 시간은 미지를 탐험하듯 조심스러웠지만 그래도 너의 하고 싶던 마음은 신나게 펼쳐본 시간들이었기에 넌 행복했노라고. 그리고 순간을 맘껏 누린 너에게 준비된 세상은 아직 오지 않은 것 뿐 지나간 것은 아니기에 행복의 공식 중 제 1법칙은 널 행복하게 만들었다고. 다만 그 순간을 기억하는 방법을 아직 배우지 못한 것뿐이라고. 그런 의미에서 내 지난 시간은 후회와 아쉬움뿐일 줄 알았는데 이제 생각하니 아들이 있어 행복했고 예쁜 딸이 있어 줘서 행복했다. 그 시간들을 살아서 지나온 것만으로 넌 행복한 시간을 보낸 것. 이것이 행복 공식 제 1 법칙이다. 순간을 즐겨라!

순간은 항상 지나가는 일상이다. 우리가 그 일상에서 자신의 상태를 찾아낼 수 없다면 어찌 보면 행복을 느낄 수 있는 감각기관이 망가져 있을 수도 있다. 하지만 과대망상이나 거짓 감정은 순간을 즐기는 감정과는 무관하다. 우선 자신이 순간을 느끼는 감각이 살아있는지 우리는 발견할 수 있어야 한다. 순간의 행복감을 즐길 수 있는 방법 중 가장 쉬운 방법은 나의 하루를 감사하는 마음에서 기인한다. 행복은 동사가 아닌 명사이면서 형용사다. 행복을 느끼는 감정, 행복감은 지나는 순간의 바람과 같다. 그래서 순간에 내가 행복하다라는 감정을 최대로 느낄 수 있는 삶의 태도가 중요하다. 그리고 자신의 감정을 조작된 거짓으로 조종하지 마라. 사람들은 가끔 자신의 감정 콘트롤을 모든 감정에 적용시키며 자신의 순수한 감정 울림을 왜곡시키곤 한다. 우리에게 생기는 사랑, 겸손, 배려, 우정, 기부 등의 선한 마음은 특히 즐기고 분노의 감정은 혼자서 즐겨라! 분노는 어찌 보면 정신 건강의 종합병원이기에 분노를 무조건 무시하는 바보처럼 살지 마라! 그 분노가 다시 더 큰 분노가 되어 너에게 화병을 주는 것은 결국 행복을 표현하는 방식의 문제일 뿐 분노가 그 자체로 나쁜 것은 아니다. 하지만 분노의 성격은 마치 자아분열 하는 아메

바처럼 자구 자란다는 단점이 있기에 억제라는 마음을 가져야 행복할 수 있다. 생각해 보라! 욕을 먹어야하는 대상이 내 옆에 살고 있는데 그 대상에게 욕을 안 하고 사는 것처럼 불행한 사람은 없을 것이다. 예전의 나의 인생은 사회를 잘못 운영하는 운영자들에게 많은 화를 내며 살았다. 그들이 미웠고 내가하면 더 잘할 것 같았고 나는 그들보다 더 나은 세계를 준비하고 있는 초인인 줄 착각하며 살았다. 그런 마음은 줄곧 나의 인생을 불편하고 불행하게 만들었으며 나의 가족으로 그로 인해 많은 고통을 받고 살았다. 그러던 중 내 아내의 화는 결국 나의 자리를 소멸시켰고 나는 가족으로부터 이탈되었다. 그 후 나의 삶은 나를 찾는 길에 깊어지기 시작했고 지금은 그런 시간을 할애해준 아내에게 감사한다. 그리고 나는 행복감을 느꼈다. 혹자들은 그럴 것이다. 그 무슨 개똥 철학이냐고! 나는 말

한다. 나는 지금 이 글을 쓰고 있는 순간 행복감을 느끼고 있고 내 귀로 흘러 들어오는 슈베르트의 세레나데가 오르가즘을 느끼게 한다. 이렇듯 순간을 잃어버린 행복은 없다. 내가 지금 어떤 마음으로 살고 있는가라는 것과 그 마음을 읽은 나를 발견하는 삶이야말로 행복감을 느낄 수 있는 가장 최초의 공식이다. 이제 당신은 지금 이 비밀을 아는 순간 행복해 질 수 있다.

행복은 마음의 거울을 찾아 가는 여행

행복의 제 2 공식

내 마음 있는 그 곳은 어디?

자신이 행복하지 않다고 여겨진다면 우선 나를 돌아보라! 내가 누군지 나는 무슨 생각을 하고 살고 있고 나는 할 수 있는 것이 무엇이며 무엇을 하고 싶고 또 무엇을 해야만 만족감을 느낄 수 있는지 가만히 나를 살펴보아라. 사람들은 간혹 자신이 어디에 서있는지 어디로 가고 있는지 어떻게 하루를 살고 있는지를 잘 모르고 관성의 법칙처럼 매일미일을 살게 된다. 하지만 그럴 때 일수록 자신이 누군지를 아는 것이 중요하다. 이것은 단순한 명상이 아니라 사유의 일종이다. 사유라는 단어는 원래 사유(思惟)로써 생각하고 도 생각한다는 오직 생각한다는 오직 유자가 들어가 있다. 하지만 나의 사유는 사유를 할수록 즐거웠고 그렇게 발견한 원리는 나의 여생을 계속 환하게 밝혀주고 있다. 그렇듯이 사유(思惟)를 사유(思遊)하라. 그야말로 생각하며 놀고 놀면서 생각하는 생각 놀이를 하라. 그런 삶 속에 내 마음의 거울을 발견할 수 있을 것이다.

사람들은 태어난 대로 살게 되어 있다. 금수저로 태어났든 흙수저로 태어났든 운명대로 살게 된다. 혹여 기독교 신자라고 나의 생각을 비난하며 스스로 위선의 감옥에 갇히지는 마라! 운명은 자연의 순리이며 어쩔 수 없는 한계이며 현명한 자에겐 그 운명이 나를 발전시키는 큰 자산이기도 하다.

당신은 자신을 속이지 않고 살고 있는가? 사실상 자신에게 100퍼센트 솔직한 인생을 산다는 것은 그리 쉬운 일은 아니다. 우리는 성장하면서 자연스럽게 그런 일들을 접하곤 한다. 어느 가난

한 가정에 태어난 한 아이는 영리하게 태어났다. 그는 학업성적이 우수했을 뿐더러 각종 재능도 뛰어났다. 그는 저학년 시절 피아노를 배우고 싶었는데 부모님은 그를 피아노학원에 보낼 수 없었다. 그는 왜 자신이 하고 싶은 것을 하지 못하는지 왜 나는 다른 얘들처럼 하지 못하는 이해하기 어려웠다. 학년이 올라가면서 하고 싶은 일들이 또 생기기 시작했다. 특히 보이스카우트를 하고 싶었는데 그 것 역시 부모님의 반대로 가입을 할 수 없었다. 그가 할 수 있었던 일은 누나들이 하던 취미를 함께 하는 일이었다. 합창부 라든지 웅변 같은 돈 안 드는 일들을 골라야 하는 선택은 그에게 자신에게 솔직할 수 없는 훈련이나 다름 아니었다. 그런 그는 일찍 부모님이 돌아가셨는데 아버지는 20 살, 어머니는 27 살에 돌아가신 후 줄곧 혼자서 세상을 살았다. 그는 사실상 29살에 결혼을 하며 그는 자신의 결정을 항상 감정적 결정에만 치우쳐 살고 있었다. 그런 그는 술에 취약했고 그의 삶은 점점 더 중심을 잃어갔다. 그는 생각했다. 왜 나는 이런 삶을 살아야할까? 왜 하늘은 나를 살게 했을까? 그는 고민했고 오랜 시간동안의 방황이 그를 일으켜 세웠다. 그를 괴롭혔던 것은 다름 아닌 자신의 인생에 마음을 볼 수 있는 거울이 없었던 것이다. 솔직하다는 것이 경박해서는 안 된다는 것을 이해하는데 그는 30년이 걸린 셈이었다. 그런 깨달음 이후에도 그를 계속 행복하지 못하게 만든 것은 욕심으로 인한 세상 부정이었는데 그런 심리는 아들과의 사이마저 갈라놓았다. 이제 그는 철저히 혼자가 되어가고 있었다. 그가 혼자서 과거의 반성과 새로운 길은 개척해 나갈 때 그는 점점 행복의 순간들을 맛보기 시작했다. 지금은 이렇게 아주 솔직하게 글도 쓰고 있으니 말이다. 그렇게 내 마음이 어떻게 생겼는지를 알기위해서는 내 마음에 거울을 넣어야한다. 그 마음의 거울이 어린 시절에도 가질 수 있는 사람은 지혜롭다. 지혜론 자는 자신의 욕심을 다스릴 수 있어서 행복하다. 조절하는 것과 억제하는 것은 서로 다르다. 그래서 자신의 마음을 조절할 수 있는 투명한 마음의 거울을 갖는 노력을 하는 일이 인생의 행복 공식에서 중요한 것이다. 자신이 하고 있는 일이 정직하지 못하다고 생각해보자. 그 하루의 일상은 잔머리와 복잡한 생존게임의 법칙만 강요하게 되며 천성이 선하거나 바른 사람은 그 자체로 하루가 지옥이 될 수 밖에 없는 것이 원리다.

그래서 스스로 정직한 하루를 보내며 자신의 시간에 당당해질 때 행복은 가까이 있게 된다. 하지만 정직한 삶이 행복의 전부를 주지는 못한다. 세상은 그 자체로 더러움을 묻혀야 행복해질 수밖에 없는 금권만능주의로 돌아가고 있으며 무작정 내가 정직한 삶을 산다고 해서 내가 행복의 시간을 즐기며 살 수 있다는 공식은 그 어디에도 없다. 다만 내 마음의 거울을 보듯 내 삶이 나를 속이지 않는 삶은 나를 행복하게 만들어 줄 수는 있다. 아무리 복잡하고 더러운 세상 속에서 굴러먹는다 할지라도 인간적 윤리와 양심적 귀환을 마음에 두고 있다면 그 끝은 행복하다.

그만큼 자기 자신의 마음에 떳떳함을 느낄 수 있는 삶은 행복의 공식에서 매우 중요한 요소이다. 내 마음에 거울을 가지고 있는 사람은 그 어떤 상황 하에서도 마음의 상태를 볼 수 있기에 현명해질 것이고 그렇게 지낸 그 폭풍의 시간은 훗날 그이 마음으로 한줄기 행복의 바람이 찾아들게 될 것이다. 생노병사와 희로애락을 경험하는 과정 속에 많은 행복감을 느낀다고 그가 '행복하다'라고 할 수 있는가? 아니면 마지막에 행복하게 죽는다고 그가 행복하게 죽었다고 말할 수 있는가? 결국 사는 동안 내가 행복한 마음을 느끼고 죽을 때 그 행복했던 순간을 회상하는 것 그 자체가 행복한 삶이었다는 것이라고 말할 수 있겠다.

인생은 마음의 거울을 찾아가는 여행

행복은 최선을 다하는 순간에 느껴진다.

행복의 제 3 공식

긍정이 주는 선물들

  어려서부터 긍정보다는 부정적으로 살게 되는 사람들이 있다. 내가 그런 사람들 중 으뜸이다. 나의 부정적 사고의 시작을 살펴보니 어린 시절 겪은 한 사건 때문이었다. 나는 불장난을 좋아했다. 그런데 아버지는 내가 불장난하는 것을 매우 싫어하셨다. 그래서 겨울이면 항상 일하러 나가시기 전에 친구들하고 불장난하지 말라는 당부를 하셨다. 어느 겨울날 나는 친구들과 이미 쓰레기장에서 불장난에 신이 나 있었고 시간은 이미 저녁으로 가고 있었다. 지금처럼 핸드폰이 있었다면 어머니의 사랑은 내게 전화를 했을 것이고 나는 못이기는 척 귀가했을지도 모른다. 그러나 그 때는 아직 집에도 전화가 없던 시절이었

고 나는 매우 행복하게 친구들과 불장난을 하다
가 불안이 엄습해왔다. 눈이 내리기 시작했고 어
둠이 짙어질 무렵 귀가를 했고 어머니는 내게
물었다.

'너 불장난했지?'

 나는 일 초의 거리낌도 없이 거짓말을 했다. 아
니요. 어머니는 내게 뭐가 아니냐고 다그치셨고
아버지께 이른다고 말씀하셨다. 그 당시는 수돗
물이 귀해서 욕조에는 항상 물이 가득 차 있었
다. 나는 얼른 씻고 옷을 갈아입고 방학숙제를
하는 척했다. 이윽고 아버지가 퇴근하셨고 일은
벌어졌다. 나는 거짓말의 대가로 물고문을 당했
고 결국 실토했다. 불장난을 했노라고. 그리고
나는 내 아버지의 교육처럼 지금 불장난을 매우
싫어한다. 그런데 이상한 일은 나의 불장난 사건

은 나를 더 이상 부모님과 솔직한 대화를 할 수 없게 만들었다. 아직도 나는 모든 시간의 순간들이 혼란 속에 빙빙 돌고 있다. 애써 내가 움직이지 않아야 과거의 시간들은 잠시 멈춘다. 그러나 내 심리의 본격 부정적 인식체계는 군대를 끌려가던 시절 생겼다. 나의 의지와는 상관없이 가게 된 군대는 갑작스런 부친의 죽음에 접하게 되었고 나의 의지와는 상관없이 나는 의가사 제대를 한 2퍼센트 부족한 남자가 되어 있었다. 그 당시를 회고해보면 나는 사단 문선대로 발령이 나 있는 상태였다. 그러나 내 의지대로 할 수 있는 것은 아무 것도 없었다.

결국 의가사 제대를 한 나는 복학을 하고 젊은 날의 방황은 폭풍처럼 휘몰아쳤다. 부정적 사고는 거짓을 잉태하며 살게 되었다. 나의 정신적 사회적 상태를 고의로 떨어뜨리지 않기 위해 너

스레를 떨거나 허풍을 치곤 그 말을 지키기 위해 고생스런 시간들을 보냈고 결혼 후에도 그런 모양은 계속되었다. 부정적 사고는 세상의 이치마저 부정하려들었다. 자신을 부정하며 꿈꾸고 현실을 부정하며 소비하고 할 수 없는 미래를 위해 사기 치기 시작했다. 그 결괴 수많은 시행착오의 실험은 나를 결국 키워주고 행복의 길을 알려주는 공부가 되었지만 그로인해 곁을 지킨 가족의 삶은 여전히 부정적 사고를 물려주게 되었다. 다행히 큰 공부 이후 나는 세상의 단순한 이치를 깨달았고 그 단순한 이치 중에서 나의 주변을 그대로 인식할 줄 아는 훈련이 매우 중요하는 것을 깨달았다. 내가 가난하다면 일 해야하고 공부해야하고 소비를 줄여야하고 헛된 실천은 하지 말아야하고 등등의 방식을 깨닫는 것만이 행복을 만들 수 있다는 것이다. 긍정은 어찌 보면 지금의 내 처지를 매우 잘 볼 수 있는 마음의 거울을 보며 내 주변을 살피는 일이다. 공자의 말씀이 그러하다. 가화만사성을 하면 행복해진다. 어찌 보면 가화만사성은 능동적 삶이 아닌 종속적 삶이 아닐까 착각할 수 있는데 마음의 거울을 찾은 사람은 그렇지 아니한다.

결국 주변을 잘 살피며 나의 좌표를 찾는 사람은 긍정적 삶을 살며 행복할 수 있다.

긍정의 삶은 관계의 보폭을 넓힐 수 있다. 가끔 긍정의 삶은 자신을 극복하는 극기복례의 형태로도 표현된다. 긍정의 삶을 사는 사람들은 사람 관계를 두려워하지 않는다. 긍정적 삶이란 무엇일까? 우리는 수많은 관계 속에 살아가는 사회적 인간이다. 인간이 사회 속에서 살아갈 수밖에 없는 존재일 수밖에는 없다는 것쯤은 이미 알고 있는 사실이다. 그런데 사회적 삶의 형태는 크게 세 가지로 구분된다. 긍정적 삶, 부정적 삶, 그리고 항상 판단 유보의 삶이다. 당신은 이 세 가지 중 어떤 삶을 살고 있는가? 나는 지난 생의 거의 대부분을 부정적인 삶을 살았다. 그런 삶의 흔적은 매우 어둡고 탁도(濁度)가 높은 흔적을 가지고 세상과 잘 섞이지 못하는 삶을 살게 되었다. 다행히 깊은 사유의 습관이 그 오래된 늪의 세계에서 벗어나도록 해주었고 그것과 더불어 새로운 직업의 세계가 함께 찾아오자 나의 삶은 빠른 속도로 긍정적 삶을 지향해나가고 있다. 하지만 여기서 오해의 소지가 있는 대목이 있다. 그렇다면 나의 부정적 삶은 어디서부터 시작되었을까? 나의 어린 시절 나는 매우 천진난만한 어린이였다. 그러나 나의 천진난만과 부모의 교육은 충돌하는 경우가 많았고 나의 행동은 부모의 잘못된 교육 방식의 댓가로 매를 많이 맞기도 했고 부모의 직업적 사고를 직면하여 충격을 받기도 했고 친구들과의 관계에서 나의 욕망과 준거집단 속에서의 서열 불만, 갑작스런 부모의 사망 등으로 내가 올바로 설 수 있는 시간적 여유가 없었던 이유를 들 수 있다. 잠재한 나의 불만과 욕망은 그릇된 방식의 토론과 주장의 청춘을 살게 되었고 결국 사회를 받아들이기보다는 내가 원하는 사회로 만들려고 현실 자체를 부정하는 삶을 살게 만들었다. 하지만 사회적 순응을 학습해 나간 사람들의 삶은 다르다. 어린 시절 조심스럽게 사물에 접근하고 친구들과도 쉽게 친해지지 않으며 자신의 마음도 잘 전달하지 않는다. 그런 사람들은 오히려 사회에 순응하며 포기를 하며 긍정하려 애쓰는 분위기를 읽을 수 있다. 하지만 이 두 형태 모두 깊음 사유를 통해 지혜로워질 수 있다.

그만큼 스스로 생각하고 길을 찾은 연습은 행복을 찾아가는 항해에 매우 중요하다. 햇볕이 아주 강하게 내리 쬐는 여름 날 그늘을 찾는 것은 당연하며 비 오는 벌판에서 큰 나무 한그루가 그리운 것은 당연한 이치다. 사막을 여행하다가 길을 잃었다는 가정은 영화에서 종종 볼 수 있다. 이 때도 항상 다혈질이나 부정적인 사람들은 긍정적으로 상황을 정리하고 헤쳐 나가는 사람보다 더 많은 고통을 겪는다. 긍정적이라는 말은 단단하다는 말로도 바꿀 수 있다. 자신의 마음을 제대로 알지도 못한 채 그저 무조건적인 희망만으로 긍정적이라는 의미를 부여할 수는 없다. 그만큼 긍정은 깊은 사유를 통해 결정되는 것이고 그렇게 결정된 긍정은 세상을 살아가는 원동력이 될 것이다. 어릴 적 부모님의 가르침을 많이 어긴 사람들은 안다. 그 때 부모님이 말씀하셨던 그 순간의 고통을 달게 살았으면 아마도 지금보다는 더 나은 삶을 살았을 것이라는 것을.

또한 아내의 잦은 잔소리를 산삼 같은 보약이
되어 나의 시간을 더 값지게 보낼 수도 있었다
는 것을. 하지만 이런 반성과 후회가 겹쳐질 때
그 순간을 긍정하라! 늦었다고 생각하는 그 순간
이 바로 시작이라는 아주 단순한 진리부터 시작
하는 것이다. 그렇게 모든 것은 바로 잡혀 나갈
것이다. 긍정은 끝없는 어둠의 동굴 속에서의 한
줄기 희망의 불빛이다. 긍정은 생명이며 긍정은
밝은 미래이다. 기술의 진보도 나의 연구가 언젠
가는 결과를 맺을 것이라는 긍정적 태도로부터
시작되는 것이다. 오늘 그대가 가진 긍정의 마음
은 내일 아침에 눈뜨며 느낄 행복의 순간의 시
작이다.

행복은 운동할 때 느끼는 상쾌함

행복의 제 4 공식

스스로 움직이는 에너지

항상 느끼는 마음이지만 움직이고 운동하면 상쾌해진다. 상쾌해지면 마음에 평화가 찾아온다. 사실 마음의 평화는 기도를 통해서 잘 오지만 일상의 순간에 삶이 지치고 힘들어지기 전에 이미 능동의 삶을 살고 있다면 그는 행복할 것이다. 어딘가를 가고 무엇을 한다는 것은 나의 대뇌가 끊임없이 내게 나를 위한 신호를 보내기 때문이다. 그런데 그 신호가 움직이는 나에게 해를 가할까? 아니다. 교통사고를 통해 자살을 하려하는 사람들도 마지막 순간에는 항상 자기를 보호하려는 본능을 가진게 인간이다. 그래서 능동의 삶은 행복감을 주도록 설계되어 있다. 우리가 사는 세상은 매우 빠른 속도를 가지고 있다.

실제로 가만히 있으면 도태하는 것이 현대의 삶이다. 이런 빠르게 움직이는 사회 속에서 행복은 어떻게 존재할까? 행복은 본질 속에 존재한다. 사람이 살아가는데 필요한 것은 의식주이다. 이 단순한 요소를 채우는 것이 가장 중요하다. 그런데 의식주가 무너진 삶은 특수한 삶이다. 나는 여기서 일반적 삶에 대해서 행복을 말하고자 한다. 나는 지금 보증금 사십 만 원에 월세 28만 원짜리 오피스텔에 산다. 그러면 나는 행복하지 않은가? 나는 지금 이렇게 내가 하고 싶은 글쓰기를 하고 있고 나는 지금 내가 정한 시간에 일어나고 일하고 식사하고 만날 수 있다. 이런 삶은 행복하지 않은가? 그동안 부양비를 잘 보내다가 두어 달 정도 밀려서 보냈다. 그렇다고 행복하지 않은가? 내가 행복하지 않은 것은 적극적으로 일상적으로 나를 움직이게 만드는 것이 없다는 것이다. 운동을 하고 싶지 않은 마음과 제 때 밥을 먹고 싶지 않는 마음, 하루 종일 말 한마디 안하고 지나갈 때 등이다. 그런데 다행히도 내게 항상 전화나 카톡을 보내주는 친구가 있다. 그는 매우 운동적인 친구다. 이 말은 부지런 하다라는 것이다. 즉, 게으른 삶을 살면 행복하지 않다는 것이다. 어떤 조건보다 나를 살아 있도록 만드는 행동이 사람을 행복하게 한다. 돈을 벌기위한 집착도 순간적 행복을 가져다주기도 하지만 공수레 공수거를 깨달으며 무상을 깨달으며 새로운 길 위에서 행복을 느끼게 된다. 이렇듯 행복은 느끼는 것이고 움직이면서 느끼는 생체 에너지가 행복감이다. 그래서 섹스를 하면 행복감을 느낄 수 있다. 그러나 이런 행복은 오래 지속되지 않는다. 행복감을 오래도록 지속시킬 수 있는 움직임 그것은 심신의 안정을 유도하는 움직임과 연결되어져 있다.

운동도 너무 경쟁적이면 패배할 때 힘들지만 그 것도 마음의 거울로 바라보면 나의 노력에 내게 위로를 하며 패배한 나에게도 행복감을 느낀다. 더 중요한 요소는 내가 움직임으로 인해서 행복한 나를 발견하는 매 순간의 연속이다. 이런 연속의 과정이 계속되어진다면 그 삶은 행복해진다. 건강해지며 자신감이 생긴다. 그래서 행복은 건강한 육체로부터 생성된다. 이제부터 항상 움직이며 나의 행복에너지를 찾아 떠나보자. 겨울도 나름 겨울 스포츠가 있지만 사실상 겨울 스포츠를 경험한지는 매우 오래되었다. 무리하지 말고 봄을 기다려도 좋다. 그 동안 동네 공원을 걷거나 여행도 좋다. 스스로 존중해주고 나를 바라봐줄 때 행복감은 충만해진다. 나는 손흥민을 좋아한다. 그의 플레이도 좋지만 그가 축구를 하며 보이는 축구 사랑에 대한 태도이다. 나는 그를 보며 행복을 느낀다. 그리고 가끔 그의 분노의 태클을 보며 카타라시스를 느끼곤 한다. 그리고 나는 느낀다. 가끔 하는 운동이지만 공원을 걷거나 계양운하를 뛰거나 에술회관 주위를 배회하는 것만으로도 충분히 상쾌해지고 행복감으로 이어진다는 것을. 나는 예전에 일용직으로 공사판에서 일한 적이 있었다. 처음 시작할 때의 마음은 망해 본 사람들이 먹고 살기 위해 몸부림으로 나가는 새벽을 경험한 사람들만이 알 수 있다. 새벽바람은 차고 어제의 피곤은 다 풀리지도 않은 채 마시는 믹스 커피 한 잔. 그렇게 피우던 담배 맛은 지금도 잊을 수 없다. 그리고 이내 이어지는 노동의 온 몸은 땀범벅이 된다. 힘들다고 외치는 나의 자아는 성숙한 사유를 통해 진정되며 터진 창으로 들어오는 바람에 허리를 잠시 펼 때 나는 행복감을 느꼈다. 그 것은 노동의 참된 기쁨도 아니요 달관의 묵묵함도 아니었다. 그저 내 몸이 개운해지는 순간의 행복감이

행복의 공식   - 44 -

었다. 하물며 매일매일 자신의 시간을 두고 운동을 한다는 것은 얼마나 행복한가? 나는 가끔 운동과 노동의 차이를 얘기하곤 한다. 운동과 노동의 차이는 둘 다 몸을 움직이는 일이지만 운동은 나의 의도적 마음으로 하는 것이고 노동은 어쩔 수 없이 하는 몸의 움직임이라고 설명한다. 노동운동의 자기기만적 표현인 노동의 기쁨은 이제 먼 기적 소리가 된지 오래지만 그래도 노동에서 자신의 기쁨을 느끼는 것은 어찌 보면 자신을 위한 행복 연습일 수 있다. 작은 편지지 한 장에 나의 손을 움직이는 것도 행복이다. 무덤덤함에 젖어 사는 우리가 가끔 손을 움직여 내 마음을 배달하는 것은 또 다른 행복 운동이다. 행복이 움직이지 않는 상태에서 찾아오는 것은 해탈이다. 그런 행복감은 우주 삼라만상의 원리를 탐구하는 구도자들에게 찾아오는 것이고 일반적 베타의 삶에서는 힘들다. 그래서 우리가

추구하는 행복은 움직임 속에 싹트고 건전한 육
체 속에 깃든다. 자 이제 나를 믿고 나의 몸을
소중히 여기는 움직임을 주며 나의 생체 에너지
를 경험해 보라! 하루는 나의 생활 속에 찾아오
는 주변의 이벤트를 찾아가며 나의 세계를 확장
하라. 내 마음이 움직이는 세상 속으로 날개를
펴고 날아 보라. 작은 생각에 머물지 말고 나의
우주를 향해 나아가 보라. 내게 찾아드는 행복감
을 느끼게 될 것이다.

행복은 운동하며 느끼는 상쾌한 감정

행복은 솔직함이 만드는 미(美)

행복의 제 5 공식

나를 표현하면 행복해

 사랑하면 행복해진다. 그런데 정말 사랑하고 행복해졌는가? 사랑은 눈물의 씨앗이라고도 하는데 말이다. 그러나 사랑의 결과보다는 사랑하는 순간을 생각해보라. 앞서 말했다시피 행복은 순간에 느끼는 감정이라고 했다. 이런 순간에 느끼는 감정 중에 공감이 있다. 행복할 수 있는 사람은 공감할 수 있는 능력을 갖게 된다. 기쁘고 슬프고 사랑스럽고 즐거운 것이 인생이다. 살면 한 번도 기쁘지 않고 한 번도 슬프지 않고 한 번도 사랑하지 않고 한 순간도 즐겁지 않다면 그게 인간인가? 사자도 웃는다. 그래서 표현하는 삶은 매우 중요하다. 하지만 과유불급이라는 말처럼 모든 것이 과하면 행복하지 않다. 기쁜 일이 있어서 술을 마셨는데 너무 많이 마신다든지 슬픈 일이 있는데 제어를 못해서 가족의 평상을 깬다든지 사랑한다고 일방적 행위로 스토킹을 한다든지 즐겁다고 음악을 너무 크게 틀거나 노래를 너무 많이 한다든지 하는 일상을 생각하면 이미 상상할 수 있다. 내 경험이 그 것들을 증명해주었다. 지금 나는 외로운 벌을 받으며 이 글을 쓰고 있기 때문이다.

표현하지 않는 삶은 결국 스트레스를 가지게 되고 그 스트레스는 병으로 이어지게 되며 병은 사람을 좌절하게 만든다. 그래서 병을 얻지 않고 건강하게 살기 위해 사랑을 표현하고 기뻐하고 슬픈 일에 함께 슬퍼하고 즐거움을 찾아 나가야 한다.

산행을 하며 가끔 느끼는 일인데 산 속에서 크게 숨을 들이 마시고 느끼는 한 순간의 감정, 행복이다. 그런데 그 행복을 잘 표현하지 못해서 이런 느낌은 어떻게 써야할지를 고민한 적이 있다. 가끔 나는 사랑보다 윤리가 더 위에 존재하는 나를 보며 놀라한다. 하지만 한 사람을 끝까지 사랑하는 것은 더 아름다운 사랑이다. 항상 표현하려 노력하라. 부드러운 표현을 터득해보라. 거친 말투와 거친 표현은 사랑에 상처를 준다. 거친 사랑의 표현은 청춘에 잠깐 할 수 있다. 하지만 사랑은 소통하고 공감하는 것. 거친 사랑은 결국 사람을 지치게 한다.

 오늘 그대가 사랑 표현에 익숙하지 않다면 이렇게 말해보라!
사랑합니다. 감사합니다. 미안합니다. 매 순간 생기는 이런 마음들을 우리는 잘 표현하지 못하고 시간이 지나서 내가 그 때 그랬다는 것을 깨닫게 되는 경우들이 많다. 첫사랑은 거의 이별로

끝난다. 첫사랑의 대상과 결혼을 하는 일은 흔하지 않다. 연예인 차태현이 첫사랑과 결혼해서 사는 것으로 유명하다. 그리고 그는 큰 스캔들 없이 연예 생활을 잘 한다. 포장된 삶일지라도 그의 여러 측면들은 신중하다는 생각을 갖게 만든다. 그리고 그는 솔직한 말들을 하며 예능의 리얼리티를 살려주는 사람이기도 하다.

우리 삶에서 우리는 얼마나 솔직하게 표현하고 살고 있는가? 어린 시절 우리들은 성장과정에서 수많은 일들을 겪으며 울고 웃으며 성장한다. 그 성장과정에서 자신을 제대로 표현하지 못하고 평생을 후회하며 사는 경우가 있다. 시간이 지나고 그 때의 일들을 추억하며 그 때 그 시절의 친구를 회상하는 일은 아마도 많은 이들이 겪는 과정이다. 하지만 표현하는 삶이 모두 행복을 불러 오는 것은 아니다. 불편한 일을 어떻게 해결

할까 고민하다가 상대방의 단점 또는 진실을 가
감하지 않고 말할 때 우리는 슬퍼진다. 관계가
나빠지고 대화가 논쟁이나 싸움이 된다. 이 때
필요한 것이 연습된 지혜다. 어떻게 말할 것인가
라는 부분이다. 서툰 표현은 독이다. 그래서 자
신을 관찰하고 자신의 언어로 상황을 설명한다
는 것은 어찌 보면 그 사람만의 노하우로 자리
를 잡게 된다. 하지만 솔직한 표현을 솔직하게
받아 줄 때 행복은 찾아온다. 솔직하고 세련된
표현임에도 불구하고 억지와 거짓으로 일관된
반응 앞에서는 더 이상 행복을 느낄 수 없다. 사
람은 사회 속에서 관계를 맺으며 산다. 그래서
항상 크고 작은 일로 기쁘고 화를 내기도 한다.
그러면서도 시간이 지나고 그 때 그 일만큼은
참 잘한 일이라고 나를 토닥이는 일은 우리에게
행복감을 느끼게 해준다. 하지만 서툰 표현과 잘
못된 판단으로 표현하는 자신이 발견될 때 우리

는 불편해 지고 후회하는 마음이 생긴다. 표현을
잘하는 직업으로써 작가는 으뜸이다.

 그러나 표현하는 작가의 삶이 과연 행복할까?
그렇지 않을 것이다. 다만 그들이 표현하는 작업
그대로 그들은 행복을 위해 전진하는 것이다. 그
래서 돈만을 위해 표현하는 예술가들은 작품 속
에 그대로 그 마음이 투영되고 추하다. 하지만
자신의 혼을 다 내어주면서 표현하는 작품들은
모두가 위대하다. 사람관계로 상처를 받았던 나
도 한 걸음 물러나 나를 다시 생각하고 관계를
생각하면 고요가 찾아왔다. 행복은 그렇게 아주
일상 속에 숨어 있으면서 자신의 표현 방식으로
존재한다. 어떤 말을 하고 어떤 단어를 쓰고 어
떤 순간에 전달하고 진심을 표현하는가에 따라
아무리 힘든 일이라도 서로 해결의 실마리를 찾
고 행복감으로 이어지게 된다. 표현을 잘하기 위

해서는 반드시 단어가 확장되어야 한다. 자신만의 표현 방법은 제각기 배우는 후천적 학습의 결과물이지만 단어의 확장은 독서만으로 이루어지지 않는다. 예를 들어 어떤 책에 시선과 시각이라는 단어가 나왔다고 하자. 그런데 사람들은 시선과 시각에 대한 의미를 뚜렷하게 구분하지 않고 사용하는 경우가 있다. 시선은 한자로 視線이며 내가 생물적으로 바라보는 방향을 얘기하며 視覺은 눈에 망막을 통해 대뇌로 인식된 것들을 생각하고 판단하는 것이다. 또 혁명이라는 단어를 살펴보자.

혁명은 주역의 천지혁이사시성 탕무혁명순호천이응호인(天地革而四時成 湯武革命順乎天而應乎人) 하늘과 땅이 바뀌어 네 철을 이루듯 은나라 탕왕과 주나라 무왕의 혁명은 하늘의 뜻을 따라 사람들의 요청에 응한 것이다. 라는 뜻의 주역

(周易) 혁(革)편에 나오는 단어를 발췌해서 사용하고 있다. 그리고 한글로 쓰고 이 말을 표현하는 행위는 무리한 행위다. 하지만 영어를 알면 그 표현 방법이 매우 쉬워진다. 영어로 revolution은 re + volution이다. re는 다시 또는 반복해서 라는 의미이고 volution은 진화라는 뜻이다. 그러면 revolution은 다시 진화한다는 말로 진화는 기존의 사용을 하던 것의 형태가 소멸됨을 뜻하며 반복적으로 소멸되니 전혀 다른 것이 바로 혁명이라는 의미로 이해할 수 있다. 그런데 우리의 혁명이라는 한자는 가죽 혁(革)과 목숨 명(命)으로 이루어져 있어서 가죽과 목숨으로 해석된다. 그래서 한 번 더 해석을 해서 가죽을 내려치면 목숨을 잃을 만큼의 고통을 수반할 수도 있고 그렇게 기존의 목숨을 끊어내는 것이 혁명이라고 이해될 수 있다. 참 억지스럽지만 우리는 그런 단어를 쓰고 산다. 그래서

행복하기 위한 표현 방식은 깊고 즐거운 단어의 사유(思遊)를 통해 가능하다. 하지만 다독을 통해서도 가능할 수 있다. 하지만 자존감이 높은 사람일수록 자신만의 표현 방식을 사용하기에 더 높은 행복감을 느끼고자 할 때는 반드시 사유하라. 그리고 표현하라! 가슴의 행복의 바다가 펼쳐 질 것이다. 행복의 공식은 그 한 가지를 안다고 완결되는 것이 아니고 모든 공식이 유기적으로 작용할 때 진정한 행복의 길로 갈 수 있음을 깨달아야 한다. 사랑한다는 말 한마디가 메말라 가는 핵가족 시대에서 우리는 가족 구성원에게 얼마나 마음을 전달하며 살고 있는가? 대한민국의 부부들은 대화가 없는 부부로 세계적으로 유명하다. 내가 지금 행복의 공식을 쓰게 되는 과정에서도 나의 말 못할 가정사가 있었음을 고백한다. 지금 생각해보면 나는 나를 몰랐고 구성원들의 천성과 그 때의 상황들을 자연스럽게 이해하지 못했다. 이기적이었으며 독선적이었으며 자기 기만적이었고 가식적이었다. 그래서 아내에게 이런 지적을 받을 때면 나는 한없이 작아지는 나를 발견하였고 그러면서 우리 사이에는 커다란 산이 놓이게 되었고 시간이 갈수록 그 산은 점점 높게만 쌓여갔다. 안정적 삶을 만들어 주지 못하는 이유가 모든 이유라고 핑계를 대 보지만 아들의 일침의 한 마디는 본질을 그대로 꿰뚫고 있었다. "돈이 없어도 행복할 수는 있었다."라고 아들이 했다는 그 말을 들을 때 아내에게 들을 때 나는 더 이상 돌아 갈 수 없음을 느꼈다. 하지만 나는 그 이후 어떻게 돌아갈지 내 마음을 어떻게 표현할지 더 깊이 생각하게 되었고 나는 지금 이글을 쓰며 한편의 평화를 느낀다. 나의 이 솔직한 고백은 치유될 수 없는 상처이기는 하지만 언젠가 행복하게 돌아갈 수 있는 날을 기대하며 나의 일상을 산다. 오늘

부터 내가 어떤 표현을 해야 행복한지를 생각해
보자. 그리고 그 행복감을 주는 단어를 가지고
대상을 찾아가보자. 그리고 아무렇지 않게 담담
하게 나의 행복한 단어를 전달해보자. 당신에게
따뜻하게 찾아오는 평화가 편안한 미소나 눈물
로 행복해 질 것이다. 행복하기 위해 표현하라!

행복은 솔직함이 만들어내는 아름다움

행복은 고난 속 극복하는 순간

행복의 제 6 공식

이겨내고, 극복하고

　살면서 한 번쯤 어려운 상황에 봉착해 본 경험
이 있을 것이다. 아직 장미 빛 날들만 살아온 사
람들이라면 그 속에서 조차 잠시의 힘든 시간들
이 반드시 있었음을 상기시켜보라. 그리고 당신
은 지금 이 글을 읽고 있다. 우리는 아주 힘들
때 때로는 "이 또한 지나가리라"며 위로를 받곤
한다. 가장 큰 아픔은 대학 실패에서부터 겪거
나, 청운의 꿈을 안고 고졸 사원으로 입사를 했
는데 여러 가지 상황으로 퇴사를 하게 되는 순
간, 열심히 준비하고 시작한 사업이 망했거나,
사랑하던 사랑이 갑자기 헤어지거나 죽거나, 갑
작스런 부모님의 사업이 망해서 나의 미래가 불
투명하다거나 여러 가지의 이유로 우리들은 좌

절을 맛본다. 그런데 어떤 이는 바로 재수에 착수하고 꾸준히. 공부를 하는 사람이 있는가 하면 퇴사를 한 후 자신을 방탕하게 놔두고 시간이 흐른 후 더 나쁜 직장에 입사하게 되거나 사랑하는 사람을 보내고 술독에 빠져 산다거나, 사업 실패로 희망을 완전히 잃고 산다거나 부모님의 그늘을 극복하지 못하고 나약한 실업자로 살게 되는 경우는 우리 주변에 다반사로 있는 일이다. 하지만 무책임하게 돈이 없어서 돈을 벌 수 없어서 힘든 사람에게 무작정 잘 될 거야! 라는 말은 안하니 만 못한 말이다. 한 번 삶의 관성을 잃어버리면 중심을 잡고 살기가 참 힘들다. 그런 사람에게 공허한 잘 될 거야는 쓸 수 없는 돈을 보여주고 돈 많으니 걱정하지 말라고 하는 것과 같다. 이제 힘들고 지친 나로 돌아가 보자. 나는 지금 힘들고 괴롭고 외로워서 하루를 견디기가 힘들다고 생각해보자. 당신은 어떻게 할 것인가?

사실은 그런 상황까지 가지 않도록 만드는 것이 가장 좋은 방법이지만 어떤 예상도 할 수 없는 상태에서 내가 무너져 있다고 가정할 때 할 일은 단 한 가지다. 내가 지금 왜 이렇게 되었을까 하는 것이다. 이유를 알아야 그 문제를 풀 수 있다.

우리가 사는 세상은 너무 다양한 삶의 형태 속에 다양한 고민거리를 가지고 산다. 그 중 가장 으뜸인 것은 단연코 돈 문제로 인한 것이다. 그 문제는 사실상 돈을 버는 방법에 관한 공부 이외에는 답이 없다. 돈이 없어서 자신의 행복한 이유 이외에 다른 문제들은 우선 극복할 수 있는가와 할 수 없는가를 구분할 수 있다. 극복할 수 있는 일들은 내 마음에 달려 있는 것들이고 극복할 수 없는 문제들은 결정권이 내게 있지 않다는 것이다. 그래서 극복하는 삶을 살고자할 때 가장 중요한 것은 주도적 삶을 살아야 한다는 것이다. 주도적 삶은 자신의 문제를 재단할 수 있다. 그 아픔 그대로 내가 받아내길 한다면 고통의 과정을 몸으로 느끼면 되는 것이고 내가 현명하게 처신하고자 한다면 자신에 맞게 방법을 짜면 되는 것이다. 사실상 돈 문제도 부지런한 삶을 산다면 먹고 사는 문제는 해결 된다. 하지만 실제로 노동의 현장에서 자신이 노동을 얼마나 즐겁게 할 수 있는가는 마음의 문제이다. 나는 가끔 음주를 한 후 대리 운전을 부른다. 운전자들은 제각기 다양한 이유들로 대리 운전을 하고 있었다. 하지만 나는 대리운전을 못했다. 택시 운전도 못했다. 보험 영업도 못했다. 하지만 나는 어두운 터널을 지나 왔고 지금은 내 나름의 인생을 살고 있다. 그렇다. 극복한다는 것은 자신의 삶을 사는 것이다. 자신의 삶이 현재의 나를 만족하게 바라보고 있을 때 극복한 삶이 된다. 그렇게 극복하는 삶을 경험하면 반드시 행복감을 느끼게 된다. 노동을 하며 아들딸의 공부하는 모습을 상상하거나 어느 날 합격했다는 소식을 듣거나 엄마의 전화가 병이 다 나았다고 하거나 극복의 삶을 통해 얻는 행복감은 너무도 많다. 사실상 모든 극복은 행복감을 준다. 특히 불치병에서 벗어난 사람은 제 2의 인생을 살게 된다. 그렇지 않더라도 수많은 일들을 극복해 냈을 때의 행복감은 겪어본 사람들만이 안다.

 오늘부터 당신의 삶에 한 가지 극복을 만들어 보라! 잠이 많다면 잠을 극복해보거나 식탐이 많다면 식탐을, 화가 많다면 나의 마음을 진정시키도록 나를 극복하는 삶을 살아 보도록 하자!

행복은 의로운 삶에 함께한다.

행복의 제 7 공식

아름다운 마음, 고결한 인생

우리의 하루는 24시간 8시간 자고 8시간 일하고 8시간 깨서 생활하는 것이 하루의 허락된 시간이다. 하지만 누구는 자는 거 줄이고 사생활 줄이고 해서 일에 미쳐 사는 사람들이 많다. 더 정확하게 말하면 지금 40대 중반 이상의 삶은 거의 모든 인생이 그런 삶을 살아왔다. 그리고 매일 행복하지 않은 일상으로 웃음을 잃은 채 살아가고 있다. 스승께서는 항상 고결한 인생을 살아야한다고 말씀하셨다.

그렇다면 고결한 것이 무엇일까? 고결하다는 것은 뜻이 높고 고상하다는 뜻이다. 즉, 도덕적으로 옳고 올바르며, 품위가 있고 위엄이 있는 것을 말한다. 고결한 사람은 자신의 이익이나 명예보다 남을 먼저 생각하고, 옳은 일을 위해 용기 있게 행동한다. 또한, 남을 존중하고 배려하며, 타인의 잘못을 너그럽게 용서하는 마음을 가지고 있다. 그렇다면 고결한 사람들은 어떤 사람들일까? 어려운 이웃을 위해 헌신하는 사람, 옳은 일을 위해 자신의 목숨을 걸고 싸우는 사람, 타인의 잘못을 너그럽게 용서하는 사람, 남을 존중하고 배려하는 사람, 진실과 정의를 위해 노력하는 사람, 자신의 능력을 사회에 환원하는 사람 등을 말할 수 있다. 그런 고결한 사람이 되기 위한 방법은 더 많은 방법들이 있겠지만 일반적으로 옳고 그름에 대한 분명한 기준을 세우고, 그 기준에 따라 행동하며 남을 먼저 생각하고, 배려하는 마음을 갖는 것이 중요하다. 타인의 잘못을 너그럽게 용서하고 진실과 정의를 위해 노력하며 자신의 능력을 사회에 환원할 줄 안다면 그는 이미 고결한 인생을 살고 있는 것이다. 이렇게 인간의 고결함을 배워 행동으로 실천한다는 것은 매우 어려운 일이다. 특히 고결하다는 것을 알면 아름다운 것이 무엇인지를 알게 된다. 그렇다면 아름다운 것은 무엇인가? 아름답다라는 의미는 국어학자에 따라 조금의 다른 해석을 하기는 하지만 필자는 '앎'이라는 뜻의 '아름'과 '답다'가 결합되어 '알음'의 정상(正相)을 말하는 어원이라는 가설을 따르고 있고 이것은 '앎'이라는 뜻의 '아름'과 '답다'가 결합되어 '알음'의 정상(正相)을 말한다.

고대 한국어에서 '아름'은 '알다'의 동명사(動名詞)로서, 미의 이해 작용을 표상한다고 할 수 있다. 또한, '답다'는 형용사로서 격(格) 즉 가치를 말한다. 따라서 '아름답다'는 알음(知)의 정상(正相)을 말하는 것으로 볼 수 있다.

즉, 아름답다는 것은 단순히 외형적인 아름다움을 넘어서, 내면의 아름다움과 가치를 포함하는 개념이라고 할 수 있다.

이렇듯 고결함과 아름다움을 알고 살아가는 하루는 행복하다. 왜냐면 고결함으로 행하는 아름다운 자신의 인격은 주변으로부터 이미 인정받고 있을 수 있기 때문이다. 그 자존감으로 피어나는 아우라는 주변 사람들을 전염시키기도 한다. 그렇게 강한 자존감에서 만들어지는 하루는 행복한 웃음을 자아내게 한다. 우리는 다시 고결함에 대해 한 번 더 생각하기로 하자. 큰 뜻을 품는 사람들은 고결하기 때문이다. 그렇다면 큰 뜻이란 무엇인가? 본질을 행한 삶을 말할 수 있다. 이익을 쫓아가는 사람이 아닌 우주 신비의 원리를 알고 그 원리 속에 자신의 위치를 깨닫는 삶 속에 행복은 고결하게 다가온다. 하지만 큰 뜻을 품었다고 해서 고결하거나 행복해지지는 않는다. 모든 것은 과정에서 자신의 열과 성이 결정을 하게 된다. 스스로 자신의 노력을 방관하고 스스로를 이율배반적으로 생각하는 순간 행복은 점점 멀어지도록 되어 있다. 그래서 의롭게 살고 자신에게 충실하며 긍정의 삶을 사는 사람은 행복의 순간적 감정을 많이 느낄 수 있다. 그래서 행복한 인생을 살고 싶다면 의로운 일을 많이 하면 된다.

행복의 제 8 공식

사랑하고 만족하고

'만족한다'라는 것은 가득해서 넉넉해진 상태에서 멈춰야 느낄 수 있다. 스스로 만족한다고 하면서 계속적으로 바라는 것들이 멈춰지지 않을 때 행복은 없다. 사람은 욕심의 동물이다. 배가 부르면 앉고 싶고 앉으면 눕고 싶고 누우면 자고 싶은 것이 인간의 속성이다. 특히 산업 사회속 금융 자본주의는 인간의 탐욕을 매일 자극하고 인간을 괴롭히고 있다. 때론 친구의 삶과 때론 나의 사라진 꿈의 좌절로 때론 가족 생계의 부담으로 인간의 하루는 괴로운 시간을 보낸다. 그러나 그 중에서도 소확행[1]을 즐기며 하루를 사는 현명한 어른들도 많다. 우리가 행복하려면

---

1) "소소하지만 확실한 행복"의 약칭으로, 일본의 소설가 무라카미 하루키가 레이먼드 카버의 단편소설 《A Small, Good Thing》에서 따와 만든 신조어

우리는 우선 자신을 사랑하는 방법을 알아야 한다. 자신을 사랑하는 순서는 우선적으로 자신을 솔직하게 바라보아야 한다. 그 것은 마치 내 속을 투명한 호수를 보듯이 보고 인정하는 것인데 우리는 사실 자신을 투명하게 내려다 볼 수 있는 방법을 잘 모르고 어른이 되어 간다.

 내가 얼마나 영리한지, 내가 얼마나 건강한지, 내가 얼마나 노래를 잘하는지, 내가 얼마나 그림을 잘 그리는지, 내가 얼마나 축구를 잘하는지, 내가 얼마나 성격이 급한지, 내가 얼마나 과격한지, 내가 얼마나 경솔한지 등 자신을 정확하게 아는 능력은 많이 부족하다. 그래서 자기 소개서마저도 모범 답안지를 보고 모방을 하며 자신을 포장하여 입사 면접을 모고 그 포장을 풀지도 못하고 직장 생활을 한다. 그래서 우리는 친구들 중 어릴 적 친구가 가장 편한지도 모른다. 자신의 어린 시절 순수했던 그 감정 그대로 친구들과 소통했던 그 친구들이 어쩌면 나를 가장 잘 알고 있을 수 있기 때문이다. 하지만 꼭 그런 것만도 아닌 것은 자신의 능력이나 본질이 나중에서야 나타나는 대기만성형 들도 있기 때문이다.

나에게 만족할 수 있는 것은 나를 사랑할 수 있기 때문이다. 나를 사랑하기 때문에 내가 노력한 시간들을 존중하고 그 결과 값에 만족할 수 있는 것이다. 그러나 우리의 욕심은 전혀 그렇지 않다. 나의 노력이 부족했기 때문에 나의 결과치가 나빴다고 규정하고 우리는 다시 도전하려한다. 그리고 자신을 더 채찍질하며 그 목표를 향해 나아간다. 하지만 내가 최선을 다했다는 것을 아는 내가 되었을 때는 결과에 대해서 매우 만족해한다. 설령 그 결과가 자신의 기대보다 낮은 결과라 할지라도 그 결과가 자신이 지나온 시간을 후회하거나 잘못했다고 자책하지 않게 된다. 하지만 그런 완벽한 만족은 그리 많지 않다. 항상 인간은 자신에 대해 잘 모르면서 안다고 착각하고 인생을 살아간다. 하지만 행복한 것에 대해 사유할 줄 아는 사람은 자신의 만족을 위해 자신이 어떻게 살아야하는지를 안다. 만족하는 삶은 자신이 무엇을 원하고 있는가에서 출발한다.

자신이 무엇을 원하고 있는지는 자신의 꿈으로 나타난다. 그런데 우리는 대부분 자신의 꿈을 이루는 삶을 살지 못한다. 그래서 만족하는 삶이란 행복한 삶을 사는 중요한 요소이다. 사실상 만족하는 삶은 자신이 원하는 것을 하고 있을 때 느낄 수 있지만 만일 지금 그대가 그렇지 못할 때 만족하기 위해 자신이 원하는 것을 할 수 있는 삶을 살아라. 그리고 그 작은 노력에 만족한다면 당신은 행복한 삶을 살 수 있다. 하지만 인간은 욕심을 통해 발전의 동력이 생기기 때문에 작은 것에 만족하기란 참 힘들다. 그래서 자신이 하고자하는 목표를 향해서 최선의 노력을 하는 길이 만족할 수 있는 길이라는 것을 더불어 알게 된다. 그렇게 노력한 결과라면 자신의 결과에 불만족할 수는 없고 자신이 노력할 수 있었던 시간에 감사를 할 수 있는 만족감으로 행복을 느낄 수 있다.

남을 행복하게, 결국 내가 행복

행복의 제 9 공식

배려하는 당신은 베푸는 사람

지금 눈을 감아 보아라! 그리고 내가 지금까지 남을 위해 했던 행동들을 떠올려 보라! 그 베풀던 그 순간은 아마도 내 주위에 아우라가 피어오르고 있을 것이다. 어린 시절 우리는 친구들에게 무엇인가를 자꾸 주고 싶은 마음을 많이 느껴보았을 것이다. 먹는 것, 학용품, 옷 등 우리는 친구에게 무엇인가를 주는 것을 좋아했다. 하지만 성장하는 우리는 점점 주는 것에 인색하고 받는 것 또한 인색한 자본주의에 찌든 남에게 피해만 안주고 싶은 사람들로 변해간다. 옳다 그리다 좋다 나쁘다 개념이 아니다. 그런 당신은 지금 행복한가? 우리는 항상 조금씩 느끼며 사는지도 모른다. 조금씩 베풀고 조금 행복한 순간을 겪으며 살고 있을 수 있다.

 그러면 베푸는 삶은 어떤 삶일까? 당신의 직업
은 무엇인가? 만약 당신이 지금 학생이라면 당
신은 치열한 경쟁 속에서 당신의 성공만을 위해
살고 있을 것이다. 그리고 당신이 공부를 통해
알게 된 지식이나 중요한 요점 정리를 친구와
나누려하지 않을 것이다. 하지만 내가 마음이 가
는 친구가 나의 지식을 필요로 한다면 아마 대
부분의 사람들은 기꺼이 그 친구에게 당신의 지
식을 나눠 줄 것이다. 하물며 맛있고 내가 좋아
하는 초콜릿이라 할지라도 당신은 기꺼이 친구
에게 주게 될 것이다. 그렇다. 베푸는 삶은 물질
을 주는 것이 아니다. 나의 마음을 주는 것이고
진심을 주는 것이다. 자연스러운 내 삶을 더 행
복하게 만들어 주는 대상이 친구라면 우리가 공
존하는 사회를 나 혼자가 아닌 다른 사람 덕분

이라는 것을 알게 되는 과정을 살아야 베푸는 삶이 넓어진다. 대한만국의 80년대를 청춘으로 살았던 사람들은 다른 세대들보다 더 많은 청춘의 기억을 가지고 있다. 거리에서 술집에서 노동 현장에서 우리는 사회를 위해 자신을 기꺼이 내어놓는 사람들을 많이 보며 살았다. 어떤 사람들은 자신들의 목숨마저 사회를 위해 바쳤던 시절 그들의 삶은 베푸는 삶이었을까? 아니면 무엇인가에 내가 중독이 된 상태로 나의 생명마저 하찮게 내어놓은 실수를 한 것일까? 아무도 모른다. 우리는 그가 남긴 그의 생각만 이해할 뿐이다. 하지만 우리는 지금 우리 자신의 삶을 숭고함으로 내 던지는 것을 행복의 범주로 논쟁하지는 말자. 전혀 다른 영역일 수밖에 없기에 생명까지 내던지는 것은 제외하자. 하여튼 베푸는 삶은 나의 마음을 이타적 마음으로 승화시켜서 나의 것을 나누어주며 내가 만족해 가는 과정이

될 것이다. 바로 그런 삶은 베푸는 삶으로 살게
되는 것이고 그 결과는 행복한 삶을 사는 인생
이 된다. 다시 한 번 기억하자. 베푸는 삶은 나
의 물질을 나누어 주는 것이 아닌 마음을 나누
어주는 삶이라는 것을. 결국 배려하는 마음이 바
로 베푸는 마음이다. 배려는 여러 가지로 표현될
수 있다. 당신의 배려는

어떤 형태가 가장 당신을 행복하게 만들까?

신비한 우주는 항상 감사한 대상

행복의 제10 공식

감사로 얻는 나의 다이아몬드

누구나 말할 수 있는 말이지만 아무나 항상 감사하며 살 수 있는 사람은 없다. 자신이 원하는 결과가 아닌 시간이 다가올 때 우리는 원망하고 자신의 시간을 후회하며 아픈 시간을 보낸다. 그러나 시간의 법칙은 멈춰있지 않는다는 것이고 사람들은 그 시간을 어떻게든 무엇인가를 하며 살게 된다. 사실상 우리가 감사할 수 있는 마음은 아침에 일어날 때부터 생긴다. 그러나 많은 사람들은 그 신비로움을 지나치며 하루를 시작한다. 지구의 생명은 태양과 달과 별에 의해 유지된다. 그 신비가 우리에게 빛을 주고 어두운 밤 너무 어둡지 않게 해주기도 하고 아주 캄캄한 밤하늘을 바라보며 빛을 향해 꿈을 키울 수

있도록 만드는 이 신비한 우주는 항상 감사한
대상이다.

 그러나 우리의 삶은 어떠한가? 죽음을 걱정하
는 것인지 내가 지금 하지 못하는 것을 탓하는
것인지 아니면 단순 아메바로 전락한 인간인지
우리는 일어나면서부터 마치 좀비 같은 행동으
로 아침을 시작하며 돈만을 향해 삶을 살고 있
지는 않는가? 강하게 부정한다면 당신은 지금
그래도 감사할 수 가장 근접한 길 위에 있다고
할 수 있다. 실제로 우리의 감사는 한 번 경험을
통해 쉽게 얻어지는 것이 아니다. 그 길 위에 있
는 사람들은 가끔씩 원하는 일이 이루어진다든
지 아니면 위험한 일에서 간신히 빠져나왔든지
병이 발견되었는데 암을 아니었다든지 여러 가
지 상황을 지나면서 가끔씩 감사하는 마음을 갖
기는 하지만 이 우주의 신비가 나를 살려주고

있다는 생각을 하기에는 부족한 인생을 살아가
기도 한다.

 하지만 한 번의 깨달음은 세상의 시선과 시각
을 바꿔놓게 만든다. 그 것이 바로 깨닫는 공부
이다. 물론 관심이 없다면 안 해도 된다. 죽는
것은 모든 사람에게 해당되는 것이고 죽을 때
잘 살다 간다는 만족한 죽음을 맞이할 수 있는
것과 죽음이 두려워 마지막 순간에도 자신을 내
려놓지 못하는 삶은 언제나 있기 때문이다. 그만
큼 감사하는 삶을 살 수 있는 것은 당연히 이
우주의 신비에 매일 감사할 수 있는 마음을 갖
도록 만드는 공부로부터 시작된다.

 태양과 달과 별과 바람과 비의 신비는 사실상
인간의 생명의 신비와 같다. 우리는 살면서 어떤
날은 상쾌하게 아침이 시작되는 반면 어떤 날은

그렇지 않은 날도 있다. 우리는 그런 것을 바이오리듬[2])이라고도 한다. 우주의 신비를 알고 나면 내가 살아 있다는 것만으로 우리는 감사할 수밖에 없다. 태양의 신비는 식물과 동물의 생명 유지를 도와준다. 식물에게는 광합성을 동물들에게는 온도조절 능력과 시각을 유지토록 도와주고 번식의 시기를 조절해 주기도 한다. 달은 중력을 통해 식물의 세포 분열과 성장을 조절하는 호르몬의 분비를 조절하도록 도와준다. 또한, 달의 조명은 식물의 광합성에 영향을 미친다.

달의 중력은 식물의 뿌리 성장을 촉진시켜서

---

2) 바이오리듬(영어: biorhythm)은 인체에 신체,감성,지성의 세가지 주기가 있으며 이 세가지 주기가 생년월일의 입력에 따라 어떤 패턴으로 나타나고 이 패턴의 조합에 따라 능력이나 활동 효율에 차이가 있다는 주장이다. 신체(physical cycle)는 23일, 감성(emotional cycle)은 28일 그리고 지성(intellectual cycle)은 33일을 주기로 한다. 원래는 19세기에 빌헬름 플리스라는 이비인후과 의사가 열병의 발생을 연구하면서 인체에 23일과 28일 주기가 있다는 주장을 하였고 알프레드 텔쳐가 그의 학생들을 연구하여 지성의 33일 주기설을 주장하였다.(위키백과)

달의 중력이 강한 밤에는 식물의 뿌리가 더 많이 자라게 만든다. 이 원리는 식물이 중력에 대항하기 위해 더 많은 뿌리를 필요로 하기 때문이다.

달의 조명은 식물의 광합성에 영향을 미쳐서 식물의 엽록소 합성을 촉진한다. 이는 식물이 달빛을 이용하여 에너지를 생산할 수 있도록 만든다.

또한 달은 동물의 행동과 생리에 영향을 미친다. 달의 중력은 동물의 이동과 짝짓기에 영향을 미치고 또한, 달의 조명은 동물의 수면과 식습관에 영향을 미친다. 달의 중력은 동물의 이동을 조절하여 달의 중력이 강한 밤에는 동물이 더 많이 이동한다. 이는 동물이 중력에 대항하기 위해 더 멀리 이동할 필요가 있기 때문이다. 달의 중력은 동물의 짝짓기에 영향을 미쳐서 달의 중력이 강한 밤에는 동물의 짝짓기 활동이 증가한다.

달의 조명은 동물의 수면과 식습관에 영향을 미쳐서 달빛이 강한 밤에는 동물이 더 적게 잔다. 이는 동물이 달빛을 이용하여 먹이를 찾거나 포식자를 피하기 때문이다. 그래서 달빛이 강한 밤에는 동물이 더 많이 먹는다. 이는 동물이 달빛을 이용하여 먹이를 더 잘 찾을 수 있기 때문이기도 하다.

생각해보라! 이런 신비한 세계 속에 사는 인간은 최상위 동물로 태어나 돈만을 쫓는 생명체로 살다가 죽는 자신의 삶이 얼마나 보잘 것 없는 삶을 살고 있는지를.

나의 목표가 이루어지지 않았을 때 우리는 실망하고 좌절한다. 그러나 태양은 당신에게 오늘과 다른 내일을 선물하고 당신의 하루를 축복하고 있다는 우주의 신비를 알고 있다면 당신은 오늘의 경험에 더 이상 좌절하지 않게 된다. 오랫동안 사업을 해오면서 경험을 많이 쌓은 사장님들은 공통적으로 하는 말이 있다. "바닥을 봐야 끈을 볼 수 있다." " 아직도 바닥은 아니었어." " 그 때야 비로소 바닥 이었구나 라고 알게 됐어" 등 삶의 경험에서 오는 한마디를 가지고 있다. 그리고 그들은 내가 지금 살아 있는 것은 기적이야. 그 것은 내 뜻이 아니야. 지금부터의 삶은 제 2의 인생이야. 라고 말을 한다. 그 처절한 경험 속에 싹튼 감사의 마음이다. 그리고 그들은 장학금 기부를 하고 이웃을 위해 봉사를 하고 운전을 하며 다투지 않고 예전과는 전혀 다른 내가 되어 살게 된다. 아마 당신의 주변에 반드시 그런 사람 한사람이 있을 것이다. 살펴보면 찾게 된다.

그렇듯이 감사하는 삶은 살아가는 과정에서 부딪히고 실패하고 좌절하고 다시 일어나서 걷고 뛰는 과정에서 얻게 되는 보물인 것이다. 광활한 우주의 작은 먼지보다 작은 존재의 나를 아침에 일어나게 해주고 먹게 해주고 일하게 해주고 또는 고통을 이겨내게 해주는 이 우주의 신비를 감사하게 되는 마음은 당신이 정말 값지게 얻어내는 다이아몬드인 것이다. 그렇게 얻어낸 다이아몬드를 가진 인생은 다시 묻지 않아도 매우 가치 있는 인생이 될 것이다. 그런 감사하는 마음에서 얻은 다이아몬드로 당신의 삶은 행복해질 수 있지 않겠는가?

솔직하고 뜨겁게 반성하라!

행복의 제 11공식

뜨거우면 시원하다

당신은 살면서 얼마나 많은 실수와 잘못을 하고 사는지 아는가?

미국의 심리학자인 리처드 니스벳(Richard Nisbett)은 1970년대에 실수에 대한 연구를 시작했다. 그는 실수를 하는 것은 인간의 본질적인 특성이며, 아무리 조심해도 실수를 하지 않을 수는 없다고 주장했다. 니스벳은 실수를 하는 이유를 크게 두 가지로 나누었는데 첫째는 인지적 오류이고 둘째는 환경적 요인이라고 했다. 인지적 오류는 이는 인간의 인지 능력이 한계가 있기 때문에 발생하는 실수로 인간은 정보를 처리하는 과정에서 편향에 빠지거나, 기억을 잘못하거나, 판단을 잘못하는 경우가 있다고 주장했다.

둘째, 환경적 요인 인데 이는 스트레스, 피로, 술이나 약물의 영향 등 외부 환경에 의해 발생하는 실수라고 했다. 예를 들어, 스트레스를 받으면 집중력이 떨어져 실수를 하기 쉽고, 피로하면 판단력이 흐려져 실수를 하기 쉽다는 말이다.

니스벳은 이러한 연구를 바탕으로 인간은 평균적으로 하루에 10~20번 정도 실수를 한다고 추정했다.

또한 영국의 심리학자인 로버트 히크슨(Robert Hixson)은 1980년대에 실수에 대한 연구를 시작했는데 그는 실수를 하는 것은 인간의 성장과 발전에 필수적인 과정이라고 주장했다. 히크슨은 실수를 통해 새로운 정보를 배우고, 자신의 능력을 향상시킬 수 있다고 말했다. 예를 들어, 실수를 통해 잘못된 행동을 피하는 방법을 배우고, 문제를 해결하는 능력을 향상시킬 수 있다고 주장했다.

히크슨은 이러한 연구를 바탕으로 인간은 평균적으로 일생 동안 약 10만 번 정도 실수를 한다고 추정했다.

그렇듯이 실수나 잘못을 하지 않고 사는 인간은 없다. 하지만 그 잘못 이후에 얼마나 그 잘못을 처절하게 반성할 수 있는가라는 것은 우선 길을 바로잡을 수 있는 방법이다. 그래서 그 잘못을 반복하는 인생을 청산하기 위해 우리는 반성하는 하루를 연습해야한다.

공자의 제자인 증자는 "나는 하루에 세 가지로 나를 반성하나니 남을 위해 일을 도모함에 불충한가? 친구와 더불어 사귐에 성실하지 못한가? 전수받은 것을 익히지 못할까 함이다."라고 말씀하셨다.　曾子曰 : 吾日三省吾身 : 爲人謀而不忠乎? 與朋友交而不信乎? 傳不習乎?

하루 세 번까지 자신의 말과 행동을 반성하지 않더라도 하루 한 번의 일기를 쓰는 것은 내일의 삶에 무척 도움을 줄 것이다. 그런데 솔직한 반성과 의도적 반성이 있다는 것을 아는가? 그야말로 자신이 자신을 속이는 행위이다. 자신의 깊은 속에서 느끼는 진정한 반성을 때로는 솔직하지 않게 받아내고 내일도 또 같은 실수를 반복하게 되는 일은 우리의 일상에서 비일비재하게 나타난다. 그야말로 자신을 속이는 행위는 그 누구도 모른다. 자신만이 알고 있는 참 슬픈 일이다. 이렇게 자신을 속이는 행위로 반성하는 것은 의미가 없다는 말 같지도 않은 말을 경계하라! 당신의 반성은 가슴이 뜨거워지고 때로는 참회의 눈물이 동반되는 반성이어야 하는 것이지 그저 자신의 현재의 상태를 위로하듯 하는 반성으로 내일 똑같은 잘못의 길로 들어서게 만드는 것은 삶을 더 악화시키는 일이 된다. 나는 내 인생에서 가장 후회스러운 일 중에 하나가 음주 후 폭주했던 시절을 반성한다. 결국 그 습성으로 인해 많은 좋은 사람들과 특히 아내와의 이별의 벌을 받고 살고 있다. 물론 다시 재결합의 그 날을 위해 부단히 노력하고 있는 과정이다. 지금 생각해보면 모든 문제의 핵심이 무엇이었는지 이제야 겸허하게 알게 되었다.

그 반성 중에 한 가지가 지금 이 행복의 공식을 쓰게 만들었는지도 모른다. 나를 반성한다는 일은 나를 바깥에서 들여다 보는 일이다. 내가 나의 바깥으로 유체이탈을 하지는 않더라도 나의 마음을 내가 들여다보고 그 때 왜 그런 말과 행동을 했는지 왜 지금 내가 이렇지를 분석하는 좋은 계기가 된다. 정신적 문제를 병으로 앓고 있는 사람이 아닌 이상은 이런 과정을 통해서

자신의 아픈 상처까지도 치유할 수 있게 되고
가끔은 그 반성으로 인해 전혀 다른 인생을 선
택하게 되는 수고 있다. 그 변화가 자신을 행복
의 길로 들어 설 수 있게 만들어 주었기 때문이
다. 종교로 귀의하는 삶이 그렇고 봉사자의 삶을
살아가는 길이 그렇고 자신의 능력을 올바로 찾
아 가는 길도 그렇다. 명심하라! 반성은 당신에
게 행복의 길을 찾게 해주는 운전 면허증이다.

爲人謀而不忠乎 (위인모이불충호)

남을 위해 일을 도모함에 불충한가?

與朋友交而不信乎 (여붕우교이불신호)

친구와 더불어 사귐에 성실하지 못한가?

傳不習乎 (전불습호)

전수받은 것을 익히지 못할까 함이다.

三省吾身

하루에 세 번씩 자신의 행동을 돌아보고, 잘못한 부분은 반성하고 개선해야 한다.

행복한 죽음을 맞이하기 위해

행복의 제 12공식

겸허하고 감사하고 준비하는

누구나 죽는다. 순서가 다르고 예기치 않는다는 것이다. 그 누구도 저승의 세계를 아는 이는 없다. 우리는 죽음 앞에서 한없이 약해진다. 영화에서 그렇게 나쁜 악당들도 상황의 반전이 일어나 죽음에 이르게 되면 살려달라고 애원하며 매달리고 중병에 걸린 열심히 살던 일반인들도 자신의 죽음 앞에서 한없이 약해지고 작아진다. 그래서 결국 종교도 없이 살던 사람들이 종교에 귀의해서 잠시나마 유가족들과 한마음으로 돌아가는 곳이 편안한 곳이니 너무 슬퍼하지 마라고 상황극을 만들기도 한다. 사실 죽음의 순간이 다가오는 가족의 마음을 누가 이해할 수 있겠는가! 하지만 누구나 죽는다는 것을 인생의 과정에서 겸허하고 감사하게 준비하는 삶은 행복하다. 왜냐면 세상의 제 1법칙은 빛과 어둠의 법칙인데 죽음은 어둠의 세계로 들어가는 것인데 우주의 오묘한 합성의 원리로 빛을 경험했다면 이제 우주의 오묘한 소멸의 원리인 어둠을 경험한다는 우주의 한 공간으로 나의 일부가 돌아간다는 것을 알고 나면 모든 걱정은 사라진다. 사람들은 죽는 것이 두려운 것이 아니라 죽음에 이르는 고통의 과정이 두려운 것이라고 말한다.

그렇다면 준비하는 삶은 어떻게 하는 것인가? 행복하게 사는 것이다. 앞서 말한 자신의 감정에 순응하며 내 마음의 거울을 가지고 긍정적으로 능동적으로 살며 사랑을 숨기지 않고 표현하며 순간의 어려운 삶에도 다시 극복하며 일어나고 옳은 생각과 옳은 행동을 추구하여 스스로 고결해지며 지금 내가 살아있음에 감사하고 나보다

어렵고 슬픈 이들에게 내 것을 나누고 하루를 감사하며 잠시나마 어제를 돌아보고 잘못된 나를 바로잡고 산다면 준비하는 삶이다. 어렵다고 느끼지 마라.

 지금 12공식 중 한 가지라도 알고 사는 사람은 이미 행복을 맛보고 살고 있을 것이고 그렇지 않더라도 지금 이 순간부터 그렇게 살면 된다. 행복이 아무도 모르는 곳에 존재하는 보물이 아닌 것은 적어도 알게 되었다. 우리가 행복한 삶을 산다는 것은 행복한 죽음을 맞이할 수 있다는 것이다. 그리고 헝클어진 순서를 차분히 다시 바로 잡을 수 있는 용기도 행복을 만들어 나가는 준비 단계일 것이다. 어떤 말과 행동도 미리 준비하지 않고는 불가능 하다. 친구와의 화해, 아내와의 대화, 거래처와의 클레임 모두 우리는 지금 나의 상황을 정확하게 느끼고 분석하여 준비해야만 만족한 화해와 대화 그리고 협상이 될 것이다. 행복을 위한 준비는 재정적 축적뿐만이 아니라 어떻게 소비할 것인지에 관한 백일몽도 포함된다. 어떻게 벌 것인가도 개같이 버는 인생을 설계하지는 마라! 자신의 능력을 충분히 분석한 후 자신의 삶을 설계하고 발전시켜 나가라. 한 번 뿐인 인생에 나보다 도 소중한 것은 없다. 부모가 가난해서 내가 학원을 다닐 수 없다는 것만을 가지고 내가 불행하다 느끼지 마라. 사실 그 불행의 감정은 부모들이 만드는 자신들의 결핍이라는 사실은 대한민국 부모들의 안타까운 현실이다. 준비하는 삶은 어떤 형식이나 정답이 없다. 우주의 신비는 누구에게나 좀 더 잘할 수 있는 능력을 만들어 준다. 그 능력의 토대를 잘 발견하는 나를 발견해야한다. 준비하는 삶은 가끔 눈물도 동반한다. 그래서 그 준비과정은 또 다른 발견의 원친이 되기도 한다. 행복한 삶을 살기 위해 준비하는 모든 것은 또한 행복하다. 목표가 있고 방법이 투명해서 자신의 하루가 정확한 자신의 의지대로 진행되기 때문이다. 행복하기 위해 준비하라!

행복의 완성

고결한 인생은 행복하다

앞서 얘기했듯이 행복은 인생의 매운 것을 막아서 다행스럽게 먹을 것이 준비되어 있다면 행복한 것이다. 많은 사람들이 행복을 찾지 못하는 이유들이 있지만 현대인의 대부분은 재정적 결핍에서 행복하지 않음을 느낀다. 그래서 모든 행복은 안정적 재정 속에 있다고 말할 수 있다. 이 말은 맞기도 하지만 틀리기도 하다. 앞서 말했듯이 행복은 지나가는 바람처럼 찰나의 감정이다. 그래서 매순간 행복한 감정을 유지하며 사는 삶은 없다. 생각해 보라! 매순간 행복에 겨워 항상 웃기만한다면 제정신이 아닌 사람으로 오해받을 수 있지 않겠는가! 행복하면 웃음은 얼굴을 떠나지 않는다. 그래서 행복한 삶은 얼굴의 혈색부터 다르다.

그런데 이 모든 것이 재정적 여력이 따라주지 않는다면 현대인들은 고통을 겪는다. 특히 아이를 키우는 부모들의 입장이 그러하다. 하지만 돈이 없다고 행복하지 않게 된다면 너무 억울하지 않은가? 똑같은 생명체로 태어나 누구는 흙 수저를 잡고 누구는 금수저를 잡고 산다는 것을 알게 되는 어린이는 행복할 수 있겠는가? 그렇게 생각하도록 가르친 부모는 그 어린이의 앞날이 얼마나 슬픈 인생을 살게될지 전혀 모르면서 지껄이는 무책임한 어른이다. 나는 노인이 아니라 어른이 되어야한다고 한다. 행복은 살아있다는 그 자체가 즉, 한 끼 밥을 먹을 수 있는 것 자체가 행복이란 것을 하고 싶은 시절에는 모를 수 있다. 그런데 어른마저 그것을 모른다면 그 아이의 삶은 온통 가지려고 발버둥 하는 인생이 되어 버린다. 재력은 타고나는 운명이다. 주위를

둘러보라. 아파트 한 채 분양받아서 결국 역모기지를 사용하며 노후의 생활자금을 사용하는 사람들은 행복하다. 그 정도를 만드는 것도 사실 많은 이들에게는 힘든 과정이다. 그러면 부족한 생활비 속에서 행복을 경험하는 방법은 무엇일까? 우스개 소리로 누구나 행복할 수 있는 방법은 바로 분수를 아는 것이다. 나의 소비가 온통 사교육비로 다 쓰이고 아이는 그저 학교 공부를 열심히 하는 것만이 최고의 길인 양 사는 가족은 삶이 벅차다. 인생은 길고 청춘은 짧다. 하고 싶은 일들을 자신의 여건에서 찾아 할 수 있는 지혜는 재정과 상관없다. 하지만 노력하지 않는 삶은 행복하지 않다. 그러므로 행복하기 위한 공식은 다름 아닌 나의 삶에 순응하며 사는 지혜로운 삶이다.

위의 12가지 공식을 한 달에 한 개씩

우선순위를 바꿔 가면서 사는 인생이라면 가히 행복한 한 해가 될 것이다. 그리고 12년을 한 가지씩 더 중요하게 여기며 산다면 그런 인생이 다 섯 번만 돈다면 그 인생은 최고의 행복한 인생이 되는 것이다.

 행복의 완성이라는 말 지체가 모순이기는 하다. 인생 자체가 생로병사의 과정이기 때문이다. 하지만 인간은 생각하는 동물이기 때문에 자신의 뇌를 통제하고 마음을 다스리는 연습을 할 수 있다는 것은 그 자체만으로 행복한 인생을 살 수 있다. 그 원리는 간단하다. 모르는 것을 알게 되면 행복하기 때문이다. 잠시의 생각으로 또는 왜라는 의문으로 시작해서 불완전한 답을 얻기만 하더라도 그리고 시행착오를 겪고 더 벌전하게 되더라도 그런 마음을 다스리는 과정과 배워 가는 과정은 행복을 동반한다.

이러한 모든 과정을 우리는 사유의 과정이라고 말하고 싶다. 사유라는 일반적 의미는 사유(思惟)생각하고 또 생각하는 것을 말하지만 우리는 사우의 한자를 思遊로 인식하자. 생각하며 노는 행위를 사유로 인식하고 나를 되돌아보고 나를 반성하고 또 나의 능력을 발견하는 과정은 그렇게 살지 않는 그 어떤 사람보다도 행복할 수 있다.

그런 과정을 연속해서 사는 하루는 새로운 사람에게 영향을 줄 수 있다. 때로는 새로운 사람들의 주머니에서 감사의 금전을 받을 수도 있다. 행복하기 위한 방법은 결국 어떻게 죽는가라는 것으로 귀결된다. 그래서 호사유피 인사유명이라는 말이 있지 않는가! 사람이 죽어서 뚜렷한 이름을 남길 정도가 아닐지라도 자신의 삶이 타인들의 존경을 받을 수 있는 삶이 될 수 있다면 그 삶은 고결하고 행복하다. 결국 우리의 삶은 고결해져야 행복할 수 있다. 고결한 삶을 향한 당신의 노력은 힘들고 어렵다고 해도 잠시 잠깐의 순간의 깨달음은 그 어떤 행복의 순간적 감정보다 더 달콤하고 밝은 순간을 경험할 수 있을 것이다.

고통의 바다는 행복의 섬을 품고 있다. 삶은 누구나 힘들다. 그 힘든 과정 속에서 지혜를 찾아 나가는 것이 행복으로 가는 길이다. 당신은 지금 살아있음에 행복할 수 있게 된다.
이제 하루의 삶이 고통의 바다였다면 당신은 이제 행복의 바다에서 내일을 살 수 있을 것이다.